KB062477

최명숙 시집

인연
밖에서
보다

도서출판 도반

흘러가는 강물 위에

들고 있던 삶의 짐들이

재가 되어 흩어지는 것을

인연 밖에서 보아야 한다

– '하동 가는 길' 중에서 –

보고 느끼고 혹은 늦은 깨달음을 적어가며

숲은 푸르게 하나인 듯 보이지만 수많은 풀과 나무가 각기 제 모습으로 자라 꽃을 피우고 열매를 맺습니다.
작은 골의 샘에서 시작한 물이 한길을 흘러가는 듯하지만 다다르는 곳은 다 같지가 않습니다.
밤의 호수는 어둠의 그늘에 가리운 듯해도 가슴을 열어 달을 품어 안습니다.
거친 바다에서 어둠을 딛고 솟아오른 해는 환한 아침을 맞이하기도 합니다.
이렇게 존재하는 것들과 살아가면서 숲의 나무 한 그루이었다가, 먼 바다에 이르는 물 한 줄기이었다가, 달을 품는 어느 밤의 깊은 호수가 되고도 싶었습니다.
폭풍이 지나간 바다의 아침을 비추는 햇살을 그렸는지도 모르겠습니다.
이렇듯 인연의 안과 밖에는 내가 있기에 기쁨과 즐거움, 보냄과 기다림을 적었습니다.

여행길에서 실수로 꽃 한 송이를 꺾어 나도 모르는 사이에 나로 인해 상처가 난 사람이 있음을 알고 아프게 적기도 했고 소외되고 팍팍하게 살아가는 이들에게 위로가 되었으면 하는 바람도 적었습니다.

큰스님께서 주시는 명품의 차를 마시고도 명품인 줄을 바로 알아차리지 못하고 다른 자리에서 이름만 같은 차를 마시면서 깨닫던 순간처럼 적기도 하였습니다.

보고 느끼고 혹은 늦은 깨달음을 인연 밖에서 바라보며 담담히 살고 싶는 마음을 적었습니다.

바람 곁의 풍경처럼 시를 읽는 이의 마음을 바라보는 시집이기를 소망으로 남깁니다.

2018년 8월 어느 날에

최명숙 두 손 모음

차례

그대가 아득한 숲길에서

날지 않는 새로 앉아 있어도

봄은 온다

– ‘봄은’ 중에서 –

입춘 후

눈이 온다
눈이 그치고 나면
남쪽으로 난 문이 열리면서
매화꽃 소식이 올 것이다

새해 맞이를 했던 날은 벌써
등 뒤의 배경으로 점점이 멀어지고
그림자 없는 초승달이 손을 내미는 저녁
겨우내 딱딱해졌던 심장에 피가 돈다

빈 듯 빈 듯 허허롭던
뜰로 모여드는 봄의 숨결을
지나치지 말고 들어 보아라
고이 품은 이름 앞에서만
꽃도 존재로 핀다

입춘 후 눈이 오다 그치면

들고날 계절의 심장이 뛰고

꽃소식이 온다

시골 장터 노파의 노래

깡통화롯불에 남은 장작개비를 던져 넣는다
막버스가 걱정되는 촌노파는
찌끄레기만 남은 좌판을 걷고
지게꾼 김씨는 국밥집 앞 커피자판기에서
흙 묻은 삼백원짜리 온기를 산다

각설이 타령으로 한판 놀던 엿장수는
파장의 그림자와 빈 주머니가 추워
낯빛이 파랗다

도시에서 와 기웃대는 한 무리의 사람들이
어디서 왔든 관심도 없다
장터의 뜨내기인 그네들이 풀고 갈
파장의 떨이의 가치가 있을 뿐이다

목에 목도리를 여미며
곱은 손으로 구겨진 돈을 편다

큰 자슥은 서울 서초동 법원에 다니고
딸은 마포에서 고깃집 한다고
고생 말고 올라오라는데 올라가면 뭐하냐고 한다
사는 것 그까이꺼 고생스러워 보여도
내 수족 움직여 이렇게 사는 것이 좋채 한다

사는 것, 고맙다 고마운 일이지
저녁나절 햇살에
영감 손잡고, 눈빛 그렁그렁해지는 일이야
하며 노파는 시장 어귀를 돌아갔다

봄은

봄은

아지랑이의 손을 잡고서 온다

혹은 녹는 길 위의 질벅한 발자국을 따라온다

복수초 노오란 옷을 입고

아침 안개가 강둑을 걸어오고

산은 산대로 들은 들대로

하늘은 하늘대로

저리들 맞이하고 있다

박동치는 나무들의 심장소리를 들으며

봄날이 저리 벅차게 오는데

어찌 일어나지 않을까

어찌 두 팔 벌려 포옹하지 않을까

그대가 아득한 숲길에서

날지 않는 새로 앉아 있어도

봄은 온다

아름다운 사람 첫 번째

- 시 노래 가수 진우

봄이 갑자기 온 날

남쪽 어느 역에서 그를 만났다

시로 노래를 부르는 사람

노래로 시를 읽는 사람

시를 노래로 노래를 시로

세상을 그려가는 그의 풍경 위에

황사 바람이 불고 있었다

사진으로 보았던 그의 얼굴은

황사 바람으로

핼쑥하고 까칠했다

아픈 그였지만

한 시인의 시를 노래로 작업을 하고 있다

말하는 입가에는

미소가 머물렀다

그의 깊은 눈 속에 담긴

시같은 노래와 노래같은 풍경이

내게로 왔다

위로가 필요한 사람들을

품 안에 앉은

그의 노래는

반가이 손을 흔들며 왔다

* 진우님은 대구에 사는 싱어송라이터 겸 작곡가로 10여년 전부터 보리수아래 장애인들과 공연을 함께하고 있습니다.

신촌 병원 가던 날 꽃샘추위

영하 1도의 추위가 어깨 위에 앉자
만성피로의 어깨 근육이 놀라
세멘 바닥에 쓸린 듯 쓰리다
칼에 베인 듯 아프다
맞서 부는 바람이 순간 춥다

주머니에 손을 넣고 걸어가다가
중천의 한 15도 밑에 있는 햇살이
불을 핀다
아!! 추워도 삼월이다 봄이다

지난 겨울이 들 무렵 햇살 아래서도 추웠어도
봄을 시샘하는 바람 앞에선
삼월의 햇살은 곱다
추운 사람에게 삼월의 햇살은
희망의 배경이 되었다

혼자가 아닌 우리이기에

그래요, 우린
휩쓸리고 구르며 빠지면서 가고 있어요
그 큰 뇌우도 맞으면서도 살고 있어요

먼저 핀 산수유꽃은
추운 겨울을 보냈을 테고
별은 먹구름 속 하늘을 지나왔을 터이지요

혼자가 아닌 우리이기에
사는 거지요

원동역의 봄날

겨우내 마른 날이 계속되다 삼월이 되자
이른 꽃이 피었다

강으로 이어진 매화농원 옆 간이역
낮게 앉은 집들 사이
먼지 낀 간판들은 세월 탓을 하며
빈둥인다

쨍한 하늘이 고요를 더하는 오후 한나절
주인이 자리를 비운 자전거 두 대에서는
물오르는 두 그루 나무의 향기가 나고
막 도착한 무궁화호 열차에서
꽃망울이 터지듯 사람들이 내렸다

또 다른 사람들은 이미 진 꽃을 데리고
돌아가는 기차에 올랐다

기다리던 버스도 시간에 맞춰 탈 사람이 타자
예정된 곳을 향해 가고
간이 의자 위엔 조는 촌부의 그림자가 나른하고
강에는 남은 꽃잎들이 흘러갔다

다음 열차 도착 시간을 알리는
역무원의 안내 방송에
졸음에 겹던 흰둥이는
깃발을 든 역무원에게 꼬리를 흔들고
줄 선 사람들 뒤에서
산도 주섬주섬 햇살을 접었다

소리여 어서 가자

1. 운판

허공의 영혼과 철없는 새는

서광이 되어 날아갔을까

2.목어

제 등에 자란 나무를 자르고

바다를 헤엄쳐 다닐까

3. 법고

가파른 숲 언덕을 숨차게 숨차게

뛰어다니며 휘돌고 있을까

4. 범종

몇 번인가 모른다

땅과 하늘과 숲, 허공으로 나갈 뿐인가

5. 생의 곡선에서

생의 곡선 위에서 날아가는 소리들아

탁 탁 가슴 푸는 소리들아

돌고 돌며 춤추는 소리들아

시방세계 허공계를 넘어가자

소리여 소리들아 어서 가자

엄마

엄마
잘 있지
보고 싶네

아픈 엄마가 가던 날
다른 날보다 기운 없는 목소리로
장 봐서 오라고 재촉하더니
대문을 나가기도 전에
엄마는 앞서갔지
참 먼 길이었을 텐데

쉰세 살에서 멈춘 엄마의 나이
나도 그 나이를 지나왔어
다른 해 다른 날보다 더 잘 있나 궁금해지네
무슨 말이 필요하겠어
엄마도 그럴 텐데

얼마나 보고 싶어 할까 하는 생각에
눈물만 흘러

이만하면 엄마의 좋은 딸이 됐나 모르겠어
시인으로 사는 거 괜찮은 일이야
둘째는 선생이 됐고
셋째는 똑똑한 아이 둘 키우느라
머리에서 쥐 난다고 해
딸로 태어난 것이 섭섭하다던 넷째는
착하기만 해서 걱정이고
기다리던 아들 막내도
남부럽지 않을 만큼 잘 됐지

빛바랜 사진처럼
어린 날의 기억은 희미해지고 있어
그러나 그리움은 그리움으로 남아
보고 싶다 엄마

사월의 길

사월을 걸어갑니다
아직 물이 오르지 않은 음지의 나무를 다독이며
뭉게 구름 같은 꽃무리에서 비켜서서 갑니다

세월을 앞서거니 뒤서거니 하느라
이월을 벗지 못한 추운 영혼들의 그림자
그들도 생의 길로 나와
아침 햇살을 희망으로 입습니다

이제 가벼운 몸으로 일어나 가십시오
푸른 맥박이 뛰던 나무들의 언덕에
이름 없는 꽃들이 피고
피어나는 꽃의 향연에 밀려
묵은 잎은 흔적도 없습니다

마른 먼지바람이 불던 언덕 너머 산길에도

어느새 꽃잎이 내리고 잎이 눈을 떠서

망설이던 계절을 풀어놓습니다

생의 한 지점 4월이 깊어갑니다

하동 가는 길

흐르는 강은 깊다
바람이
줄지어 선 나무의
하얀 꽃잎 사이를 지나갈 때
막 깨어난 강물이
새벽을 달려와 기차에서 내린
객의 눈빛에 젖는다

아침 안개 걷히는 벚나무 십 리 길에는
꽃비가 내린다

자전거를 타는 연인들과 사투리가 걸한 사람들의
부딪힘에도 아랑곳하지 않고
설레임으로 흘러가는 강물의 손짓
나는 못 본 척하며 낙화하는 꽃길을 간다
꽃잎은 길 위에 떨어져 길을 지운다

구례에 내려 화계장터 호중별 유천

쌍계사로 가는 길이 멀다

산수유 마을과 지리산 화엄사

조금 멀리 청학동 요가철학자 이형록이 사는

숲속명상원으로

서로 만나 불현듯 찾아가도 좋은 구례에선

흘러가는 강물 위에

들고 있던 삶의 짐들이 재가 되어 흩어지는 것을

인연 밖에서 보아야 한다

있을 뿐

종로 안국동 광화문은 밤늦도록 시끄럽고
막혔건만
역사의 문은 살아있다

이것도 아니고
저것도 아니다
혹은
너도 아니고
나도 아니다
다만
흘러가는 시간 속에 있을 뿐이다
라고 말하는
천년 나무가 어둠 속에서도 푸르다

봄날은 간다

바람이 불고
바람이 불어

꽃이 지고
꽃이 지니

너도 간다 하고
너도 간다 하며 갔으니

꽃잎은
길 위에 떨어지고
길 위에 떨어져서
너의 발자국을 지운다

걸인과 달고나 파는 여인

지하철 광화문역에서 서점으로
올라가는 계단에는
키 작은 사내가 사람들에게 엎드려
길에서 벗어난 고행자처럼 절을 한다
종이상자에 담겨지는 동전을 적절히 비우고
빈손이 된다

앞에는 달고나 뽑기를 파는 여인이
국자를 연탄불에 태워 먹던 추억을 판다

엄마와 쪼그리고 앉아
초롱한 눈망울로 뽑기를 하는 아이와
머리 맞대고 깔깔대는 여학생들이
계단 입구 파란 하늘에 새겨진다

길이 다른 사람들이
키 작은 걸인과 달고나 파는 여인 앞을 지나간다

키 작은 걸인은 엎드려 보는 사람들의 발걸음에서
사는 길이 보였을까
달고나 파는 여인은 추억을 살려 주고 받은
천원 지폐에
사는 행복도 덤으로 받았을까

지하철 5호선 광화문역 안에서
다시 두 사람을 만났다
여인은 빨리 오라는 손자의 전화를 받으며
상일동행 열차를 먼저 탔다
사월의 겨울 파카를 입은 키 작은 사내는
다 먹은 빵봉지를
휘익 버리더니 뒷모습도 무겁게
방화행 열차를 타고 떠났다
노란 안전선 안에서 방황하는 빵봉지 곁으로
저만치서 환경미화원이 집게를 덜렁이며 온다

아버지와 어머니

작은 가방을 들고 자하철 계단을

올라가는 노신사를 보며

문득 아버지가 생각났다

막내가 첫 월급을 타서 사드린 가방에

문고판 책 한 권과 디카를 넣고

다니는 아버지는 당신의 세상을 찍어 저장했다

인터넷 속 위성지도로 태어난 고향집 근처를 찾아

어릴적 이야기를 들려주곤 하신다

날마다 아버지의 새로운 세상처럼 말씀하신다

친구 문병 갔던 병원의

암병동을 지나다 만난

링거에 핏기 없는 내 또래 여인을 보면서

어머니가 그리워졌다

아프단 말 한마디 없이 괜찮다고 괜찮다고 하던 어
머니는 수선화처럼 살다 가셨다
돌아가시던 해 추석날
먹어서는 안 된다고 한 송편 한 개를
한참 동안 맛있게 드시던 기억은
아프게 바래지 않는다

너도 나이 들어 봐라 하시던 어머니 말씀이
새록새록 떠오르는 사월이면
수선화를 보러 나들이를 나선다
아버지에게 피천득 선생의 수필 이야기도 들으며
사진 한 장 찍어 달래
꿈길에서 만날 어머니께도 안부를 전한다

약사사 길에서

길을 간다.
오월의 숲길을 걸어간다

길이 곧게 나기 전
돌멩이 무수히 발부리에 채이고
잡목의 뿌리는 발을 걸어
가는 길을 막았던 날은 먼 옛일이 되었다

아카시아꽃은 향기를 하얗게 풀며 피어나고
그 뒤 숲 속에는 뻐꾸기 동박새가 울더니
드문드문 민낯의 흰 찔레꽃이 손을 잡는다

붉은 장미가 피기 전 하얀 꽃이 지천으로 피는
오월의 품 안은 갓 튼 솜처럼 편안하고
맥박에는 푸른 희망이 뛴다

파도처럼 밀려왔다 청잣빛 하늘 속으로

스러지는 아픈 흔적은

푸른 나뭇잎들 사이에서

고운 새들의 노래가 되었고

향기롭게 피어나는 꽃들에게

비가 되고 햇살도 되어 빛났다

2015년 봄 어느 오후를 다시 생각함

집에서 지히철역까지 15분
지하철을 타고 가는 목적지 광화문역까진
운임이 없다

서점에 들려 시집을 반 권쯤 읽거나
책 한 권을 종종 사는 광화문역 서점
심심치 않게 보이는 피켓 든 사람들의 집회
그리고 세종대왕 앞에서 수다스럽게
사진을 찍는 중국관광객 혹은
무언가 핸드폰에 올리는
갈색 머리 흰 피부의 사람

또 걸어 종로구청을 지나면
대추나무집에서 돼지갈비찜과 소주 한잔하는
도반들이 수다를 떨고
바로 앞 공사장에선 뚝딱뚝딱 드르륵 드르륵
소리가 요란스럽다

수송여관을 좌측으로 돌아 골목길엔
법보신문 현대불교신문
여러 이판사판 소식들이 웅성대며
조계사 대웅전 앞에는
사백 살 회화나무의 그늘이 넓다

대웅전 안 스님은
관세음보살 관세음보살 정근을 하시고
몇 년간 갇혔던 유리벽에서
나왔다 다시 들어가려는 관세음보살은
고개를 끄덕인다
깨달음의 보리수 아래
그 보리수 아래가 어디에 따로 있으랴
바로 여긴데
사람들은 더 좋은 무엇을 찾느냐고 한다

그대의 봄이 깊어

그대의 봄이 깊으려고
건조주의보가 내려지고
부석사 오르는 길에 사과꽃이 핀다

신문 기사에 매화꽃부터 피는 봄소식이
만국기처럼 걸려도
그대 봄소식이 영 시들하더니
비가 온 아침,
맑은 하늘과 연둣빛 숲
무량수전 부처님의 두 눈가에
바람이 머물러 이제야 봄이 깊었다

만발한 사과꽃잎이여
지나온 겨울나이테와
여름나이테 사이에서
공고해지는 사랑을 위한
노래로 불러 다오

꽃부터 피지도 않고

잎부터 나지도 않는

그대 봄을 위한

그림 한 폭으로 그려 다오

그대의 봄 깊어

만나는 날

빛나는 햇살과 새들

하얀 사과꽃이 서로 맞잡고

왈츠를 추게 해 다오

꿈

눈 오는 날의 꿈은 따뜻한 맞잡음이 있고

꽃이 피는 날의 꿈은 환한 미소가 있고

소나기 오는 날의 꿈은 푸른 함성이 있고

낙엽 지는 날의 꿈은 돌아갈 뒷모습이 있다

목어

눈을 떠야지
녹록지 않은 세상이
수만 리 밖까지 깜깜해도
여명을 보아야지

바다를 지나던 스승이
물고기가 된 제자의 몸을 벗게 하고
등에 자란 나무, 그 몸에서 다시 태어난 몸
밤낮으로 눈을 감고 있을 수는 없어
몸이 다 닳도록 정진해야 하는 때문이지

깨어나 자유로이
일어나 허공을 헤엄쳐

너무 자주 오지 말라는

부처의 인사가 끝나기가 무섭게

이미 예약한 마음의 자유승차권이 합장을 하였다

– '오월 갑사에서' 중에서 –

괜찮아요

파랑새가 긴 여행을 떠났다
세상의 슬픈 것들을 보았다
군데군데 아픈 것들이 손짓을 했다

버스터미널에서 버스를 타지 못한 통영행 버스표를
만났다
파랑새는 왜 떠나지 않고 구겨진 채 있느냐고 물었다
버스표는 말했다
'주인이 나를 버려 길을 잃은 것은 슬픈 일이지만
혼자서는 갈 수 없는 나를 환불도 못하고 버릴 수
밖에 없었던 주인이 별 탈 없기를 바라요
나는 괜찮아요 괜찮아, 빈자리에는 누군가가 편안
하게 자리할 테니까요'

대나무 숲에서 산수국을 만났다
꽃가지 몇 개가 꺾여 눈에는 눈물이 그렁그렁했다

파랑새는 꽃이 피지도 못하고 가지가 꺾였느냐고
물었다
수국은 괜찮다고 고개를 저으며 말했다
'지나던 이가 꽃을 베어 갔어요. 어느 집 화병에 꽂
혔으면 다행이지만 아무 데나 버려졌을까 걱정이어
요
여기에 있는 우린 괜찮아요. 대나무 숲 대나무들이
바람이 불 때마다 들여다봐주고 상처도 곧 아물 테
니까요'

바다로 이어진 강 하구에서 겨울 철새를 만났다
날개 위에는 먼지가 뽀얗고 숨이 차 하였다
파랑새는 봄도 가고 있는데 왜 아직 떠나지 않고
있느냐고 물었다
파랑새는 호흡을 깊게 들이쉬고 말했다
'봄이 올 무렵 다들 북쪽 고향으로 날아갔어요

요샌 하루가 다르게 심해지는 황사 때문에 돌아가는 길이 어렵곤 하죠. 갑자기 분 황사돌풍에 휘말린 나처럼 모두가 뿔뿔이 흩어졌으면 어쩌나 걱정이어요
난 괜찮아요. 철새 보호소에 가면 겨울이 오기까지 잘 지낼 수 있으니까요'
파랑새는 괜찮아요 관찮아를 희망으로 들으면서 여행을 계속했다
하늘을 만나면 하늘에게 들었고
비를 만나면 비에게 들었고
넘어진 아이가 흙을 털며 일어나
괜찮다고도 하였다
파랑새도 비바람 속을 날면서 괜찮아요 괜찮아요를 하곤 하였다

까치밥이 있던 은행나무집

골목 어귀에 큰 은행나무집이 있다
그 집에는 늙은 감나무와 라일락이 산다
녹이 슨 철대문 틈 사이로 토마토와 오이꽃
화초들이 피어 있다

예순 넘은 집주인 신 씨는 집 밖
골목 어귀에 서서
은행나무집의 사계를 본다

해가 뜨고 눈과 비가 지나가는 사이
라일락이 피고 감이 익고
은행나무가 물들어가면서
오는 계절을 집에 들인다

은행나무가 노랗게 지면
감나무에는 까치밥 네다섯 개 달려
첫눈을 기다리고

첫눈이 내리면 까치와 참새는
눈부신 겨울 햇살을 겨워하며
겨울을 난다고도 한다

입춘도 지나 까치밥이 떨어질 즈음
화단에는 수선화 움이 터서 봄이 온다.
작년에 가지 꺾꽂이해 심은 매화가
피었다 진 자리에는
라일락이 향기롭다
감나무와 은행나무 가지에는 푸른 바람이 분다

사람은 자신을 밖에서 볼 줄 알아야 한다고 한
신 씨가 지난 해 여름 이사를 간 후
은행나무집은 어둠이 깊어갔다
큰 은행나무는 허리를 잘리고
가지치기한 감나무에
까치밥이 한 개도 없던 겨울은 쓸쓸했다

새봄이 한창이어도

그 집 화단에는 수선화가 자라지 않고

라일락은 몇 송이 피다 말았으며

감나무의 잎은 더디 나더니

은행나무의 허리는 더욱 구부정했다

철 대문 사이로 보이는 화단에는

초여름을 잊은 듯

작년에 심었던 꽃들이 말라 있고

낡은 세발자전거 덩그마니 서 있다

오월 갑사에서

황매화 오솔길의 갑사를 걷는다
노랗게 진 꽃잎 위에 뿌려진 동박새의 노래로
푸른 성장을 앞둔 갈참나무의
그늘을 따라 오른다

앞서간 이들은
두 마리 용이 들고 있는 동종 앞 우물가에서
구척장신의 기인의 괴목전설과
우보살의 전설로 목을 축이고
바람결에 팔랑이는 연등은
어깨를 툭툭 치며 하늘로 가잔다

햇살에 나와 앉아 있는 비로자나부처는
오른손으로 왼손의 집게손가락을 말아
세상을 쥔 손으로
모든 것이 둘이 아님을 말해 주지만
일배, 이배, 삼배에도 수만의 상들이

온몸을 흔들고 가는 것을 불러 세우진 못했다

서울서 데려온 때 묻고 아픈 존재들과
갑사의 푸른 하늘 밑에서 이별을 한다
그중 몇은 다시 나와 상행선 기차를 타고
부처에게 얻은 맑은 현재와 미래는
한발 앞서 집에 도착하였으리라

너무 자주 오지 말라는
부처의 인사가 끝나기가 무섭게
이미 예약한 마음의 자유승차권이 합장을 하였다

넘어졌어요

부처님, 사람들의 발에 걸려 넘어졌어요

비 오는 날 공평동 네거리에서
넘어져서 흙탕물에 옷이 다 젖고
바닥에 쓸린 무릎에 피가 납니다

뾰족한 돌에 찔린 손바닥도 쓰라립니다

부처님 그래도 다행입니다
발목을 삐지는 않아
걸을 수 있어 다행입니다

가슴에 든 파란 멍도 곧 가시겠지요
웃고 계시는군요
마음공부
그 미소 속에 답이 있음을

어디 계신가요

어디 계신가요
낯선 곳에 앉아서
문득 그리워서 문자를 보내신다는
말씀에 그리워집니다

앉아 계신 곳 근처에
제가 흘린 사랑의 기록이 있나
둘러보세요

언젠가처럼 그 자리에서
당신과 차를 마시고 싶었던
내가 거기 앉아 있을 테니까

그날이 다시 오면

거리에서 그를 만났던 그날이 다시 오면
많은 꿈과 별들의 대화를 들으며
선재동자의 여정 같은 길을 찾아 나서리

기차를 타고 낯설지 않은 곳에 내려 여행을 하고
산수국이 피어 있는 암자로 가는 길과
캔버스를 든 화가의 갤러리로 이어지는 길을
걸어가리

한낮 햇살에 잎들이
영롱한 등나무 아래 앉아
준비해 온 차를 따르고
유쾌한 웃음을 구름 한 점 없는 하늘로
띄워 보내리

사랑하던 그날이 다시 오면

어둠과 먹구름, 갑자기 닥친 아픔도

두려워하지 않으리

사랑이 다시 온 그날에는

비바람이 몰아칠 때 두 손을 꼭 잡고

빗속을 걸어가리

이유를 알 필요는 없다

사랑이 어디서 어떻게 왜 왔는지
이유를 알 필요는 없다

만발한 꽃의 향기를 맡고
흐르는 음악을 듣듯 사랑하라

사랑이 때로 아픈 이유도 알 필요는 없다
비바람 몰아쳐서 가지가 부러졌다고
나무가 푸르게 자라지 못하는 것은 아니고

음반이 튀어서 노래 한 소절을 듣지 못한다고
노래가 없어지는 것은 아니다

사랑이 찾아왔을 때 아침을 맞듯 하면 되리라
오늘을 살듯 하면 되리라

호사다마

좋은 일 뒤에 나쁜 일
나쁜 일 뒤에 좋은 일
앞서거니 뒤서거니 참 긴 경주이다

한 시간 전 좋은 일이 웃었다
지금은 슬픈 일이 있어 눈물이 난다

어젠 며칠을 걸려 그린 그림이 망가져
절망을 했다
오늘은 망가진 작품을 대신한 작품이
돌멩이 옥으로 빛나
희망을 보았다

울고 웃어야 하고 절망하다 희망을 보고
일어나는 하나하나의 일을
덮는 평범한 일들이 점점이 일어났다가
여백이 되었다

생각의 전환

한 어머니에게 두 아들이 있었다
우산장수 아들과 소금장수 아들

비가 왔다
소금장수 아들이 소금을 못 팔까 걱정이 되었다

해가 났다
우산장수 아들이 우산을 못 팔까 또 걱정이 되었다

다음날 비가 내렸다
어머니는 우산장수 아들이 우산 장사를 잘하니
기뻤다

해가 다시 났다

어머니는 소금장수 아들이 소금을 잘 팔게 되었으니

안심을 했다

마침표를 찍지 않았다

크게 상심하고 있을 때
오라는 너의 전화를 받으며
상심을 옷깃 속에 여며 놓고서
유쾌한 농담으로 반겼다

나의 상심은 어느 토크쇼에서
나온 말 한마디에 기인한 것이지만
상심할 수 있는 여유에 기다렸던 쉼을 찾아
맞을 수 있었음을 안다

너와 통화를 끝낸 후 차를 내리며
치유의 만다라를 그려야겠다고 생각했다
완성의 마침표를 찍을 순간에 대해서도

그러나 완성의 마침표는 찍지 않았다
상심의 밖에서 또 다른 상심에 베였다가 아물면
거기에 굳은 살이 배기지 않도록
그림은 계속 그려야 한다

나를 감싸는 너와의 공유의 틀 속에서
무소의 뿔처럼 홀로 가야 하는 의미는
그 모든 것이 버리는 연습이 되어 오지만

버리는 일조차 나의 것인지 아닌지에 대해서는
분명하지가 않았다
하지만 유쾌한 농담으로
치유될 상심이 내 안에 남아 있다

아름다운 사람 3

— 춘천의 정상석 시인

'선생님, 울지도 않는데

사람들은 운다고 생각해요

슬프고 아파서 정말 울고 있을 때는

진정한 위로의 말 한마디 건네지 않아요'

상석씨 오늘도 그랬군요 그렇지요

스스로도 몸과 표정을 맘대로 할 수 없는 것처럼

사람들은 상석씨가 날마다 내딛는 한 발 한 발이

얼마나 힘든지를 알 수 없어요

짐작을 할 뿐, 이해하려 노력할 뿐이지요

이해하려는 사람들이 있다는 것은

참 고마운 일이어요

'선생님, 새롭게 놓여진

저 높은 계단을 오르려면 또 힘들겠지요'

상석씨 그렇겠지요

그러나 오를 준비를 늘 하고 있잖아요

소중한 사람들의 어깨에 기대어

오르게 되겠지요

누군가 상석씨의 마음을 알아주지 않는다고

아파하거나 슬퍼하진 말아요

다른 이들도 사는 일이 어려운 건 다르지 않아요

우리 곁에서 동행하는 사람들을

위해주고 고마워하면서 살아요

상석씨가 잘 살아줘서 고마운 것처럼요

눈

소리 없이 내리고 내리는

너

나도 너처럼

길 위에서 만나는

누군가의 시린 생에

위로가 되고 싶다

작약꽃 편지

캔버스를 접는 그의 손이 산 그림자를 그린다
작약꽃 붉은 그늘 아래 앉았던
햇살이 일어나 강을 건너고
낮 동안 캔버스 위에 활짝 피었던 꽃잎은 져서
그림자가 되었다

하루 묶기 위해 쉴 곳을 찾는
전하는 허풍스런 소식을 듣는 저녁
뒷산 키 큰 갈참나무도 쪼그리고 앉아
떨어진 붉은 작약꽃잎을 주워
조금 그리운 편지를 써서
노을에게 준다
뻐꾸기가 운다

그렇게 작약이 피었다 지고
그에게로 가서 피었다가 지고
그에게로 돌아가는 편지가 되었다

나무들도 나무끼리 가지싸움을 하면서 크고

풀꽃들도 풀꽃끼리 키 재기를 하면서 더불어 살고

나무와 풀꽃도 아닌 듯하면서도 서로를 보듬으며

더불어 산다는 것을 알게 되었을 때

숲길의 그들과 진정으로 더불어 걸었다

– '나무와 풀꽃' 중에서 –

끼어든 바람이 말했다

– 흥국사

약사전 부처님이 부르기에 흥국사에 갔다

언젠가 설법당 앞에서

하염없이 들었던 바람 소리가 다가와

약사여래부처와 나 사이를 끼어든다

바람이 말했다

“가슴에 무거운 돌을 왜 그리 많이 얹었어?

조금 버려”

약사여래가 이어 말했다

“바람의 말이 맞아. 바람을 배워”

무슨 답을 할까 답이 없다. 고개만 끄덕였다

바람이 또 말했다

“머리에 풀들이 너무 많이 자라고 있어

정작 자라야 할 것들이 못 자라잖니”

약사여래가 또 이어 말했다
“바람이 맞아. 바람을 따라 세상을 한 바퀴 돌고 오면 알 수 있을 거야”
생각해보겠다고 하고 풀씨 하나를 더 심었다
약사여래는 풀을 벨 연장 하나를 손에 들려 주었다

바람이 일어서며 다시 말했다
“완벽하지 않은 너를 받아들여. 세상은 한 구석 모자란 듯 사는 거야”

약사여래가 바람의 손을 놓으며 말했다
“바람의 말이 옳아
완벽하지 않기에 가능성도 많지”

바람에게 곧 다시 보자고 작별 인사를 했다
바람이 간 후 약사여래와 나는
오래도록 말없이 앉아 있었다

초승달이 떴다

부품도 마지막이었던지 수리할 수 없어
덜컹덜컹 흔들리는 버스를 타고 갔다

파하는 시골 장에서 탄 노파가
풀물이 까맣게 든 손으로
제멋대로 구겨진 천 원짜리 지폐를
세다가 졸고 있다

암자에 도착하기까지 아직 멀었는데
우르르 탔던 사람들과
조는 노파를 남겨두고
내리려는 순간
어른이 되어버린 아이들의 속도로
구름은 흘러갔다

버스는 나를 내려놓고 부리나케 떠나가고
코가 닳고 귀가 뭉개진 돌부처가 인사를 한다

돌부처는 오늘도
세상으로 나가려다 접을 모양이다
밤이 오려는지 어린 참나무에 거미줄이 넓어지고
새들은 둥지로 날아가 숲이 적막하다

오늘은 다시 앞산에 걸렸던 땅거미를
버려두고 떠나고
초승달이 떴다
부품 고장 난 나의 가슴에도 떴다

다시 듣기

새벽에 떠났던 여행에서 돌아와
세상의 모든 음악을 다시 듣기 한다

만발하던 매화꽃 증후군이 살아나
봄눈 온 창밖을 서성대며
목련나무에 깃들다
더 과거의 단풍나무숲을 걸었다

붉은 동백이 붉게 질 무렵
남해 어느 찻집에서
차 한 잔에 세 가지 가격이 붙은
프랑스 남부 니스의 카페에 대한
기사를 읽었다

커피 값을 깎아주지 않더라도

겸손한 언어로 반가운 인사를 나누고 싶던

그 꿈의 기억

현실로 돌아와

잊지 않은 꿈을 찾아 나선다

내일이면 다시 듣기 해야 할 오늘

다시 듣기의 유효기간처럼

얼마간 지나면

제목만 남은 날의 흔적

다시 듣기가 끝나가고 있다

홀로 걷다

박새가 둥지를 찾는 소리
햇살이 간 자리에 지는 노을

누가 길을 찾아 헤매는가
숲의 깊은 적막에 부딪쳐 흔들리는
풍경 소리

홀로 걷는 저녁 숲길
가슴이 아린 듯 슬픈
바람의 일렁임

사는 일

밝고 고른 날에 햇살의 손 잡았더니
소낙비가 쏟아져서 옷은 젖고
다들 흩어져 아무도 없네

어찌할 수 없어서
처마 밑에서 앉아있으려니
무지개가 뜨네

조계사에 들다

서 있는 곳은 저마다의 소원들이 달려 환합니다
님께서도 환한 등들의 향연 속에 계시겠군요
이마에 구슬땀 흘러 삼천배가 되는 기도가
아니더라도
누구에게나 좋은 일이 올 것 같은 예감이 듭니다

아프고 지친 마음을 약사여래가 만져 주고
관세음보살은 억울한 일 하나쯤
보왕삼매론에 써서 풀어주고
회화나무는 연등의 바다에
허리를 담그고 춤을 춥니다

유리벽을 나온 관세음보살을 향해
누군가 말합니다
살아온 억겁이 소멸합니다
살아갈 억겁을 밝힙니다

어둠이 깊다고 탓하지 않아도 되니

무엇을 바라겠어요

오래 있어 주시겠지요

부처님 오시는 길 어둡지 않으니

우리 사는 곳도 어둡지 않게요

지금 나는 조계사에 들었습니다

그저 그런 기억들

미장원 앞을 지나 초등학교를 돌아갔다
흰 개망초꽃 줄지어 선 담 안 체육실 뒤에는
고양이새끼들이 눈을 비비고 있다
내가 3학년이었을 때만 해도
부엉이 가족이 살았었다
하교하는 아이들이 뒤를 따라왔다
담이 끝나는 후문 입구에
또또와 문방구에 들렀다
조기 퇴직 후
늙은 어머니의 일을 이어받은 동창이
우리 바보 왔느냐고 또 놀리고
요양원에 갈 날을 받아 놨다는
동창의 어머니는 눈빛으로 인사를 했다

초등학교 운동장에는

큰 칼 옆에 찬 이순신 동상이

국기게양대 앞에서 뛰노는 아이들을

여전히 내려다보고 섰지만

신축공사가 한창인 아이들의 새 교실이 올라가고

내가 공부하던 교실과 추억이 헐려지고 없다

가슴에 달았던 손수건과 신발주머니

학급 문집, 중학교 입학원서

그리운 성장의 기록들이 까닭 없이 생각난다

그저 그런 기억어어서 좋은 것들이었다

개구리가 우는 걸 보니

– 육지장사 근처에서

봄이 깊기는 깊었네

무슨 반가운 만남이라고

버스를 기다리는 정류장 앞 논에서

울고 있는 개구리

고향의 소리

벗과 같이 정다운 소리

봄밤을 수놓았던 너인데

이젠

아 이때쯤이면 하면서도

찾아가기엔 많이 멀어졌네

어느 날 아파트가 들어오고

어느 날 소리 소문 없이 큰길이 나고

살 만한 대지가 없어지고

포크레인에 실려 간 언덕에선

목말라하던 너였기에

너의 노래에 온몸을 적셨네

뜻대로 안되는 일들로

건조해진 내 피부와 호흡을

너의 노래로 여네

네게 발붙일 자리가 작아져서 어떻게 하느냐고

힘내라고 하진 않겠네

아직은 주어지는 속도에 맞추어 살아도

되겠다고 말하고 싶었네

나도 그처럼

– 석남사

석남사 담장 밑에서

핀 금강초롱 한 포기

나도 그처럼

이지러진 마음을 펴고

바람에 걸리지 않는 꽃이 되어 살까

지나가는 이의 지팡이에도

머리를 맞기도 하고

소나기 후드득 지나간 후

계곡물의 노래를 듣기도 하고

부처가 쪼그리고 앉아

말없이 웃기만 하다 가시게 하는

그처럼 그리 살면 되리

비바람 맞는 시절을 지나

때가 되면 고이 져서

새의 손을 잡고 날아가

무명의 앞마당에 피어날 씨앗으로 묻히는

그처럼

살면 되리

나무와 풀꽃

숲길을 처음 걸을 때는 알지 못했다
나무는 나무끼리 어깨를 맞대고
풀꽃은 풀꽃끼리 도란거리며
숲에서 자라는 줄 알았다

나무는 넓은 가지와 잎으로
겨울 추위와 비바람을 막아
풀꽃이 꽃을 피우게 하고
풀꽃은 땅에 납작 엎드려
억수 같은 빗물에 흙이 떠내려가는 것을 막아
나무 뿌리가 땅 깊이 내린다는 것을
이해하지 못했다

나무 그늘만 없으면 풀꽃이 자라는 게 아니며
풀꽃들이 없어야
나무가 뿌리를 튼튼하게 내리는 게 아니라는 것을
숲길에서 사계절이 지나서야 알았다

나무들도 나무끼리 가지싸움을 하면서 크고
풀꽃들도 풀꽃끼리 키 재기를 하면서 더불어 살고
나무와 풀꽃도 아닌 듯하면서도 서로를 보듬으며
더불어 산다는 것을 알게 되었을 때
숲길의 그들과 진정으로 더불어 걸었다

먼 길

그는 말했다. 신발은 해지고 발엔 물집이 잡혀 쓰
린 자신에게 진정으로 가야 할 길인지 아닌지 모르
겠다고…
거부할 수 없는 까닭을 마음에 묻었기 때문이라고
대답했다

그러면 그와 앞서간 사람들은 가는 길이 끝이 멀고
먼 집착임을 알게 될 것이며, 목마름으로 신기루처
럼 작열하는 고행의 길 위에 서 있게 될 것이라고
일러주었다

나는 이마에 땀을 닦으며 그의 먼 길을 염려하고
있다고 알려주었다. 하지만 길을 떠나고 스스로 가
는 길을 막지 않는 나를 원망하는 사람들에게 아무
말도 하지 않았다. 그가 길 위에 주저앉았을 때 다
가가야 할 길을 가고 있었으므로

방황하는 가운데서

읽지도 않으면서
2007 좋은 시집을 뒤적인다
책장의 수십 권 책 중에서
손에 잡힌 책
잡히는 대로 열었는데 그 속의 시는
나를 꼭 잡았다. 난독증 증세인 나는
제목 아래 이름부터는 까마득해
손을 내저었다
읽지도 쓰지도 못할 것 같은
방황이었다
낯익은 시안들이 아우성이다
꾸벅거리며 조는 사이 좋은 세상을 만들
시들의 시어들이 머리를 짚어주고
어깨를 감싸고 무릎 위에 앉아
우리에게도 좋은 날이 오겠지 곧 오겠지 한다
모음과 자음으로 흩어지는 방황 가운데서

자유

그물에도 걸리지 않는 바람이 있었다
무소의 뿔처럼 혼자서 가도 아무렇지도
않은 바람이었다
대나무 숲을 지나며 대나무의 곧은 의지 사이로
부드러운 직선을 그리며 지나갔고
도시의 콘크리트 건물을 만나서는
최대한 각진 몸짓으로
시베리아 벌판의 자작나무숲을 지나듯
사이사이를 달려갔다
꽃이 만발한 정원이 나오자
바람은 제자리에서 돌고 돌다가
꽃향기를 달고 하늘로 불어갔다
자유로운 바람이 지나는 곳에는
양지와 음지가 있었으며
오르막 내지는 내리막이 기다렸으며
나고 죽음이 있었다

무소의 뿔처럼 홀로 가는 길에도

그물에 걸리지 않은 길에도

오롯이 홀로인 자유는 없었다

착각의 미완성

1.

늘 복음성가 소리가 듣기 좋던

교회에 공사천막이 높게 쳐졌다

교회가 부흥하여 신축을 하나 보다 생각했다

하지만 보름 뒤 교회는 온데간데없고

빌라 세 동이 올라오면서 분양 현수막이 걸렸다

2.

밤 아홉여덟 시 넘은 지하철 안에서

앞에서 두 사람이

어깨를 폭 감싸고 있었다

예쁜 사랑을 하고 있는 연인인가 보다 생각했다

사람들이 내린 뒤 연인은 보이질 않고

피곤한 아이가 무거운 책가방을 안은 채 졸면서

책을 보고 있었다

3.

이어지는 착각은 완성되지 못하고

하루에도 서너 번씩 밀려든다

골목길과 시장통에서

사거리 신호등 앞에서

그리고 사는 시간 곳곳에서

멈추지 않았다

비록 가진 게 적어도 무엇인가 내주고 싶습니다

늦가을 오후가 비에 젖어 갈 때

낙엽에게

낮은 사랑에 대하여 물어봅니다

– '가을비' 중에서 –

바다, 배, 등대

- 군산 동국사 가는 길에

바다가 있어

배가 뜨고 있었네

배가 나아가니

바다는 길을 열었네

바다는 비바람 파도가 쳐서

혼돈스럽더니

등대가 앞에 서 있었네

늘 그 자리

등대가 붉은 이정표를 세워

어둔 뱃길을 잡았네

꽃양귀비

– 내소사 자장암

눈부시게 피어나는 그대

붉디 붉은 입술로

돌부처를 흔들어 댔어도

일촌광음의 사이에서

지고 마는 것을

어찌 살았다고 살았다고

노래를 하는가

내소사 안개

내소사 가는 길에는
서울에서부터 동행한 안개가 자욱했다
여여하게 살았으면 좋겠다는 한 사람의 문자에도
안개가 끼어 있었다
익산역에서도 호남선 열차와 작별 인사를 했었지만
안개는 플랫폼에서 머뭇머뭇거리다가 다시 기차에
올랐다
기차는 7시에 떠나네를 부른 아그네 발차와 7시 55
분발 기차를 탄 나 사이의 거리는 멀었어도 안개는
그곳에서부터 시작되었다
우울증을 지나 대인공포증을 의심케 하는 내 근황
에도 안개가 끼었다
누구도 짐작하지 못한 근황을 안개만이 알고 있었
다
곰소행 버스를 기다리는 정읍터미널 편의점 주인에
게 “사투리 안 쓰시네요” 물었더니 서울 사람이라
고 한다

서울에만 전라도 사람이 있는 게 아니라 전라도 작은 한 지점에도 서울 사람이 산다는 게 낯설다
내소사 입구에 선 안개는 자신의 길은 끝났다고 하면서 작별을 했다
전나무 숲길을 걸어갔다
전설의 완성되지 못한 인생과 내소사의 빛바랜 천년의 미완성이 보였다
외출에서 돌아온 스님이 안녕하세요 라며 인사를 하였지만 머뭇대다 답을 못했다
늘 그랬다
대답을 바로 하지 못한 까닭을 이해하지 못함에 상심을 하고 집으로 돌아와 시 한 편과 시집 한 권, 늦은 답을 보냈다

건너편 의자

방화발 마천행 열차가 떠나기를 기다리면서
건너편 빈 의자를 바라다본다
일곱 자리 중 빈 자리 둘
어느 역에서 온 그 누가 와서 앉을까
얼마나 많은 사람들의 의자가 되었을까
언제부터 방화와 마천 사이에서
누구의 피곤을 덜어냈을까
다친 마음과 슬픔으로 귀가하는 사람도
있었을 것이다
해후를 앞두고 설렘으로 앉았다 가는 사람도
있었을 것이다
기꺼이 자리를 내주고 일어선 사람도
있었을 것이다
그렇게 앉고 일어서며 하루를 비우고
달리는 의자는
사람들의 옷깃에 쓸린 등받이를 하고
떠날 것이다

내가 모르는 수많은 만남이 앉았다 갔을

건너편 의자를 바라보면서

한 자리 차지하기 위해

앞서거니 뒤서거니 했던 사람들이

줄지어 떠오를 때

지금 일어서실 때입니다 라고 안내방송이 나왔다

일어서려는 내 앞에 달려와 서는

중년 여인에게 미소를 건넸다

인생의 중턱을 넘어선 그녀의

고달픔을 엿보며

자리를 내주었다

두 시선이 닿는 곳에서

– 인사동에서 뇌성마비 아이를 만나다 –

술에 취한 듯 손을 흔들거나
구부정하게 넘어질 듯 걷는 아이가
연실 웃으며 간다

사람들의 눈에는
넘어질 듯 흔들리는 육체만큼이나
아이가 사는 세상도 흔들려 보여도
아이가 사는 세상은 흔들지 않는다

그 평화로운 아이의 세상을 증명하기란
추락하는 별똥별을 잡는 만큼 어려워...

아이에게 다른 사람과 다름은
상처가 되기도 하고 눈물나는 일이기도 하다

그러나 아이는 꿈을 돋우며 걷는다

바위 틈에 난 풀잎이

들꽃 무리 속에서 꽃을 피우듯

휘어 자란 나무가 숲의 일부로 살 듯 산다

오늘의 이 거리가 아이에게 편한 세상일 때

사람들 모두가 편하다는 것을

턱 없는 지점을 지나며 말해주었다

춤을 추듯 사는 아이는

미소를 만발하게 피우며 간다

이유를 찾을 순 없으나

라디오에서 흐르는 음악을 응얼거리는 동안
이유를 특별히 찾을 순 없지만
어젯밤 태풍에 업혀 온 9월이 많은 꽃을 피우진
않을 것 같은 예감이다

서로가 서로의 속도에 맞춰 걸어오느라
숨 가쁜 가운데
좀 늦더라도 좋은 동행이고자 했음을 아는
우리이기에
인생의 새 계절의 정원에는 수수한 꽃으로
우리가 부르는 노래가
아름다울 만큼만 피어나리라

가사자락이 펄럭인다.

– 봉은사

법문하는 스님의 가사자락이 흔들린다

별 볼 일 없이 살다 가고 싶은 사람은 없듯

진흙 속의 연꽃도 한여름 날 호수에 가득한

녹조 속에서는 살 수 없다고 하는 법문

항아리에서 연꽃이 피었다

구름과 하늘을 담은 항아리에서 연꽃이 진다

마음과 마음에

탁탁

주장자 치는 스님의 가사자락이 펄럭인다

은진미륵과 산책하다

–관촉사

논산역에서 관촉사를 지나는 버스를 기다린다

사람들은 연무대 가는 길을 묻는다

국방의 의무를 진 젊은 기상을 만나러 가는 그들과

안녕을 하고 버스를 탔다

대개의 절은 피안의 입구처럼

버스의 종점이 많다

종점이 아닌 중간 어디쯤일 때는

낯설음과 수행의 부재처럼 불안함이

앞에서 턱을 괴고 뻐꿈인다

10분쯤 가면 나온다는 관촉사

머리의 화불(化佛)이 내는 황금빛으로 빛나는

은진미륵이 보이나 고개가 길어진다

다행히 승객의 서너 명이

관촉사에 가는 길이라 하여

따라 내렸다

카메라 셔터 소리

목탁 소리

풀벌레 소리

염불 소리

은진미륵과 편안한 산책을 한다

정보 없이 떠나는 여행도

참 괜찮을 때가 있다는 것을 알 때쯤

관세음보살이 어찌 은진미륵이 되었을까

물음표를 찍는다

시처럼 가을은

자작나무 숲에서 시인을 만난 시간이
점점이 멀어지면서 가을은 깊었다

산국은 언덕 모퉁이에서 흰 듯 푸른 듯 피고
시베리아 나그네새가
깊어진 쪽빛 하늘을 돌고 돌다
산자락에서 울고
오래오래 기다린 나의 기다림은
자작나무 사잇길에서 시가 되었다

맑은 가을의 창 앞에서
사랑하는 이의 온기 같은 차 한잔 앞에 놓으면
자작나무 노랗게 물드는 소리가 밀려온다

맥박이 느려지고 피로하지 않은 우울을

미완의 시로 보내긴 싫어

길 위에서 낙엽은 저희들끼리 껴안으며

옷 벗은 숲에서 나의 시가 지작나무처럼 서서

물들었다

깊은 가을 속에 섰다

– 칠장사

죽산에 내려
가는 세월의 문을 닫는다

가슴 한켠에 사랑을 잠궈 둔 채
날들은 흘러간다고 했지만
백만송이 금송국화 만발하여
칠장사의 깊은 가을 속에 섰다

멀리 헤어져 있다고 해도
갔던 사람이 온다고 해도
사각의 앵글 속에 담겨진 너는
항상 게 서 있다

코스모스와 빨간 맨드라미가 이울고
국화 옆 백일홍은 더욱 붉어
세월에도 지지 않는다

가을비

비에 젖어 더욱 붉은 단풍잎이
바람도 없는데 자고
바람이 불어 또 집니다

가을이 가기 전에
겨울이 오기 전에
가진 것을 대지 위에
다 내려놓아야 하는 것처럼
내려앉습니다

비 그치면 텅 빈 나목이 되어 갈 것을
알지만 그리 쓸쓸하지는 않습니다

비록 가진 게 적어도 무엇인가 내주고 싶습니다
늦가을 오후가 비에 젖어 갈 때
낙엽에게
낮은 사랑에 대하여 물어봅니다

무채색 간이역 11월

11월은 무채색의 간이역이다
단풍나무숲에서 단심의 이름 하나 새겨 놓고
자작나무길을 지나서 왔거나
물그림자 깊어진 강을 건너왔거나
산길 어느 길을 돌고 돌아 왔거나 한
해거름녘에서 그들이 들어오고 있었다

시간의 기적 소리는
가을 협곡을 지나는 철새처럼 울고
늙은 역장의 수신호처럼 낙엽이 진다

저기 강을 건너온 고독이 길어질 때
단풍잎 붉게 흩어지고
자작나무 하얀 길은 문을 닫는다

11월의 정거장에서 내린

무채색 눈빛들에게

쉼의 노래가 되기엔 쓸쓸하다

비 젖은 마곡사에서

11월 어느 날, 비 젖은 마곡사에 들렀다
봄부터 시작한 가을 가뭄 끝에서
하루 반나절을 내린 비는 그치고
사방불의 오층석탑에 초승달이 걸리더니
어둠 그늘은 깊었다

어리석은 한 생각에
무엇인가를 위해서 살리라는
결론 없는 기도가 공허하고
언제나 공염불하듯이 사는
생의 언저리에서
먹고 사는 일과 사랑,
자꾸 덧나는 상처에 대하여
말을 꺼냈으나
철들지 않은 말들의 결론은 없었다

몇 생의 방황 끝에 되돌아온 곳이리라
하늘고개로 오르는 길로 사람들이 올라가고
대웅보전 옆길로 내려서 걸으니
판석의 징검다리가
건너겠느냐고 묻는다

건널 수 없는 벗을 두고는
못 건넌다고 마다하였다
먼 길을 돌아가니
단풍나무 길은 젖은 채로 기다리고 있었다

다시 마곡사에서

마곡사 가는 길, 은적암 산길을 간다
서너 걸음 앞서 가는 스님은
산안개 속에 흐린 마음을 덜어 버리고
그 뒤에는 희미한 옛사랑의 노래 같은
사람이 간다

은적암 좁은 산길에서 붉은 단풍나무이거나
젖은 바람 혹은 계곡물 소리가 길을 터 준다
왕벚꽃 피던 자리가 이곳이었나
백범 김구가 은거하던 솔잎 융단길이
저곳이던가
옛사랑의 노래
산안개가 앞서거니 뒤서거니
걸어간다

가는 사람 뒤에서 잎들이 노랗게 진다
오는 사람 앞에서 붉은 단풍이 진다
곧 내 길을 따라올 사랑이 길을 잊을까

모퉁이 돌아 서 있는 단풍나무에
이정표를 세우고
징검다리를 건너다가
가을비에 다리가 잠기거든
먼 길이라도 돌아서 오라고
몇 줄의 편질 남긴다

마곡사로 가는 솔바람 길을 걷는다
오색등 걸려 있는 길
비 젖은 스님과 붉은 단풍잎이
손짓하며 걸어온다

알 수가 없다

– 백양사

노령의 맥이 끝닿은 곳 백양사에

가을이 붉었다

붉은 빛은 내게로 다가와 우리 모두가

한 길을 가고 있다는 듯 붉을 뿐

말이 없었다

말 없는 사람들의 어깨 위에 낙엽들이 쌓여

서로에게 위로가 되고 스스로에게

기대면서 걸었다

나무들은 말없음표같이 서 있고

쌍계루가 보이자

낙엽 지는 풍경 사이로 한 수행자의 회색빛

염불 소리가 들렸다

걸음걸음 노래의 뒤를 따라가도 알 수가 없다

아는 게 없음으로 회색빛 염불이 끝나가고

영화에서처럼 지는 낙엽에 관한

그의 이야기를 물었다

백학봉 아래 늦가을이 졌다

한 해를 보내며

다시 한 해가 가려 합니다
창가에는 아직 마른 국화꽃이 걸려 있고
책상 위에는 완성하지 못한 시 한 편이 놓여 있고
한 살을 더할 인생의 나이테를
단단히 하지 못하였는데
울고 웃던 생애 일부분을 미완으로
맺습니다

미완으로 맺는 일 년
본래의 작은 나로 돌아갑니다
비록 작은 나였을지라도
여리고 착한 이들과
더불어 온 삼백예순 날은 살 만한 길이었습니다

서로에게 눈과 귀, 다리가 되어

동행하는 이들에게 감사의 인사를 전하며

다 나누어 주지 못한 사랑과 희망을

가는 해의 말미에서

오는 해의 첫새벽을 밝힐 등불로 밝힙니다

목숨 다하는 날끼지 미완으로 남을

송년의 아침일지 모르나

희망으로 짠 새 옷 한 벌씩 갈아입고 우리 모두

새해의 문으로 들어서기를 기도합니다

야나가와 뱃놀이

기타하라 하쿠슈의 문학관을 지나
세월은 가네 시를 읽는다
주인 모를 성을 둘러 가는 강물은 흘러간다

밤새 내린 비에 수국은 반쯤 지고
성벽의 담은 물그림자 검푸르게 깊다
허리 굽은 나무는 늙은 병사처럼 섰다

돈코부네 뱃사공은
인적 없이 적막한 길을 홀로 재촉한다는
옛 노래를 부르다가
강둑의 흰 흙벽돌 석회집에 핀 꽃들의 이름을 묻자
아는 것은 알고 모르는 것은 모른다고 웃는다

그물처럼 얽히고 설킨 이천 년 수로에는

수양버들은 바람의 노래에 흔들리고

바다를 건너온 이방인을 태우고

나룻배는 흘러간다

만달레이 힐 수타웅파이 사원

– 개화사 미얀마 성지 순례길에서 –

두 사람이 더러는 네다섯 명이
만달레이 힐에 올라
저녁을 맞이했다

저기 두 사람은 노을을 노래하고
또 한 무리 여행자는 두런두런
어둠을 받는다

수타웅파이 사원에 서서
만트라를 돌리듯
노을을 돌리고 어둠을 돌렸다

천안을 가진 그가
빛나는 광배를 하고 앉아 있고
서성거리던 객이 하나
어둠 속으로 들어가
별들 중에 숨었다

바람, 햇살 그리고 홍매화

– 선암사의 봄 –

기다리란 서신으로

그대 나를 부르더니

바람이 불었다

상기된 숨결로

그대 내 앞에 서더니

부신 햇살이 내렸다

더없는 향기로

그대 나를 품에 안더니

홍매화가 피었다

개화사 그 자리에서

피아노 선율과 찻물 따르는 소리
조용한 듯 조용하지 않은 침묵
돌아오는 찻잔은 자기는 뜨겁다고 말한다
불안 불안
뜨겁지 않아도 내 손은 흔들리고
더러는 엎지를 일이다

찻잔이 갔다가 돌아오고
또 갔다가 돌아오는 사이
많은 생각들도 다녀갔다

마지막 학기말 시험은
공부할 것을 독촉했고
하루도 빠짐없이 법당에서 생수 두 병과 천 원 한 장을 놓고 삼배를 하던 종로거리 노점상 어르신의 주름진 까만 손이 아른거린다

파가니니를 사랑하다 2년 전 죽은
바이올리니스트 권혁주도 생각난다
카톡은 툭툭거리며 봐 달라고 울었다

현각 선사의 증도가 한 구절과
알라딘 램프의 내용이 다르지 않고
라흐마니노프의 피아노 선율과
깊은 차향이 어울릴 때
카톡의 울림처럼 툭툭 나서는 생각들이
쉽게 읽은 글 한 줄을 알 듯 말 듯 어렵게 했다

현각 선사의 증도가 한 구절과

알라딘 램프의 내용이 다르지 않고,

라흐마니노프의 피아노 선율과

깊은 차향이 어울릴 때

카톡의 울림처럼 툭툭 나서는 생각들이

쉽게 읽은 글 한 줄을 알 듯 말 듯 어렵게 했다

– '개화사 그 자리에서' 중에서 –

인연 밖에서 보다

발행 2018년 8월 30일

지은이 최명숙

펴낸곳 도서출판 도반
펴낸이 이상미
편집 김광호, 이상미
대표전화 031-465-1285
이메일 dobanbooks@naver.com
홈페이지 http://dobanbooks.co.kr
주소 경기도 안양시 만안구 안양로 332번길 32